la Cuisine aux ŒUFS

les recettes indispensables, des plus classiques aux plus élaborées

la Cuisine aux ŒUFS

les recettes indispensables, des plus classiques aux plus élaborées

Bath · New York · Singapore · Hong Kong · Cologne · Delhi · Melbourne

Il est conseillé aux enfants, aux personnes âgées, aux femmes enceintes, aux convalescents ou toute autre personne souffrant d'un problème médical d'éviter les recettes réalisées avec des œufs crus ou à peine cuits.

sommaire

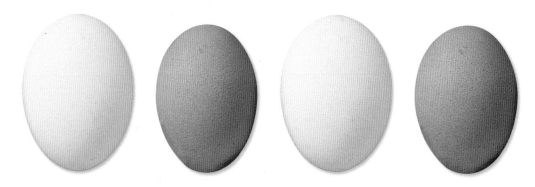

introduction

Largement utilisé en cuisine, l'œuf est l'un des ingrédients qui permettent le plus de diversité. Aliment complet, riche en vitamines A, D, G, en fer, zinc et calcium, il est peu calorique (85-90 calories en moyenne), contient un faible taux de carbohydrates, mais plus de protéines que la viande.

Si les recettes de cet ouvrage sont réalisées avec les traditionnels œufs de poule, il est tout à fait possible de les remplacer par des œufs de caille, de cane, d'oie et d'autruche, tout aussi délicieux et aujourd'hui distribués dans des magasins spécialisés.

Qu'ils soient durs, brouillés, sur le plat ou pochés, les œufs cuisent en quelques minutes et permettent de concocter des petits déjeuners rapides et nutritifs, mais également, si vous bénéficiez de temps ou préférez un brunch, des plats plus substantiels, comme les œufs bénédicte à la sauce hollandaise, les succulents pancakes aux myrtilles ou les œufs pochés aux asperges et au parmesan, une recette de saison particulièrement sophistiquée. Sans oublier l'un des grands favoris des enfants, le célèbre pain perdu.

Si vous êtes en quête d'un déjeuner ou d'un dîner légers, optez pour l'exquise omelette mousseuse aux crevettes, la frittata aux courgettes et aux champignons ou la salade niçoise ; et sachez que rien n'égale la saveur d'une mayonnaise maison dans une salade, un sandwich ou une sauce.

De la même manière, plusieurs recettes sont à même de satisfaire votre appétit si vous recherchez un plat plus nourrissant, à l'image de l'indémodable quiche lorraine, des spaghettis alla carbonara au délicieux parfum d'Italie ou du soufflé au fromage et aux herbes.

Enfin, en tant qu'ingrédients essentiels de nombreux desserts et pâtisseries, les œufs atteignent leur plénitude en fin du repas dans de savoureux desserts tels que la pavlova au chocolat et aux framboises, la crème glacée à la vanille ou la tarte au citron.

Achat

Il importe d'acheter ses œufs chez un commerçant de confiance et de s'assurer qu'ils sont frais, propres, sans odeur et que leur coquille est intacte. Cette dernière sera blanche ou brune selon la race de la poule, la couleur n'ayant aucune incidence sur la valeur nutritive ou la saveur de l'œuf. Les variations de couleur du jaune sont déterminées par le régime alimentaire de l'animal, ainsi, les œufs de poules élevées au maïs sont d'un jaune sombre.

Vous devez trouver sur l'emballage des indications sur la catégorie de qualité, le calibre, le mode d'élevage et la date de péremption. Des mentions supplémentaires peuvent être ajoutées, comme la date d'emballage (recherchez la plus proche de la date d'achat), parfois la date de ponte et le mode d'alimentation de la poule.

Seuls les deux signes officiels de qualité, le « label rouge » (œufs fermiers) et la qualification « issu de l'agriculture biologique » ou « AB » (poules élevées au sol avec des aliments issus à 90 % de l'agriculture biologique), imposent des normes strictes sur le mode d'élevage, le traitement médicamenteux autorisé ou le type d'alimentation des animaux. Les autres œufs peuvent contenir des antibiotiques, hormones ou produits chimiques.

Après l'achat, vous pouvez recourir à deux tests de fraîcheur. Le premier consiste à placer l'œuf dans un bol rempli d'eau – un œuf frais tombe au fond et repose horizontalement ; s'il ne l'est pas, il remonte vers la surface, bout arrondi vers le haut (plus sa position est verticale, moins il est frais). Pour le second test, cassez l'œuf dans une soucoupe : un œuf frais est reconnaissable à son jaune rond et rebondi, retenu par un anneau d'albumen épais. S'il ne l'est pas, le jaune est plat et l'anneau inexistant.

Enfin, les calibres standard des œufs sont « petit », « moyen », « gros », « très gros ». Sauf indication contraire, les recettes de ce livre sont réalisées avec de gros œufs.

Conservation

Les œufs frais se conservent au réfrigérateur pendant
2 à 3 semaines après leur achat. Gardez-les dans leur
boîte, sur le bout arrondi, ou si vous les achetez en vrac,
dans une boîte hermétique qui les protégera des odeurs
fortes (absorbées par les coquilles, celles-ci risquent
en effet d'affecter la saveur de l'œuf). Placez-les au fond
d'une clayette dans la partie inférieure du réfrigérateur,
et non dans la porte où ils souffriraient du changement
de température à chaque ouverture. Sachez aussi que
des œufs conservés à température ambiante se détériorent
plus rapidement (ils vieillissent davantage en un jour que
des œufs conservés au réfrigérateur en une semaine).

Les œufs dont on a séparé le jaune du blanc pour
les besoins d'une recette se conservent peu de temps

Précautions

S'il n'est pas parfaitement cuit, l'œuf peut contenir
la bactérie de la salmonelle à l'origine de graves
empoisonnements alimentaires : il est donc recommandé
aux personnes vulnérables (les femmes enceintes, celles
qui allaitent, les bébés, les personnes âgées ou malades)
d'éviter la consommation d'œufs crus ou légèrement cuits.

au réfrigérateur : de 2 à 3 jours pour les jaunes, jusqu'à
une semaine dans une boîte hermétique pour les blancs,
mais il est possible de congeler des blancs ayant été
battus avec une pincée de sel ou des jaunes battus
avec du sel ou du sucre.

Ustensiles et équipement

Pour des raisons pratiques, il convient de posséder certains ustensiles couramment utilisés pour réaliser des recettes à base d'œufs.

Casseroles et poêles

Il faut une petite casserole pour les œufs à la coque et une poêle à fond épais pour les œufs brouillés et les omelettes. Un pocheur à œufs peut aussi être utile, bien qu'il soit tout à fait possible de pocher un œuf dans une poêle remplie d'eau.

Ramequins

Ces petits récipients de porcelaine ou de terre cuite sont très utiles pour cuire des œufs au four et réaliser des petits soufflés individuels.

Bols

Munissez-vous d'une gamme de bols de tailles variées pour mélanger les ingrédients, battre les œufs, etc.

Spatule

Elle est l'ustensile idéal pour détacher un œuf sur le plat ou une omelette de la poêle.

Spatule en caoutchouc

Utilisée pour incorporer des blancs montés en neige dans d'autres ingrédients, la spatule en caoutchouc évite les pertes de volume.

Écumoire

Elle est utile pour évacuer l'excès de liquide lorsque vous sortez des œufs pochés de leur eau de cuisson.

Fouet ballon

Il permet de monter des blancs en neige à la main.

Mixeur à main électrique

Il peut servir à mélanger divers ingrédients, à battre des œufs et à monter des blancs en neige.

Séparer les blancs des jaunes

S'il existe plusieurs procédés infaillibles pour séparer
les blancs des jaunes, la méthode dite « des coquilles »
demeure la plus simple et la plus efficace (veillez simplement
à utiliser des œufs tout juste sortis du réfrigérateur). Brisez
délicatement la coquille sur le rebord d'un bol. Entrouvrez-la
et laissez le blanc s'écouler dans le bol, puis passez le jaune
d'une moitié de coquille à l'autre en prenant soin de ne pas
la casser, jusqu'à séparation complète. Attention à ne jamais
laisser tomber ne serait-ce qu'une pointe de jaune dans
les blancs, car ceux-ci ne monteraient pas. Si vous devez
effectuer l'opération avec plusieurs œufs, utilisez un troisième
bol pour casser les coquilles : cette petite astuce évite
de gâcher tous les blancs si l'une d'elles se brise. Versez
ensuite les jaunes et les blancs dans leurs bols respectifs.

Monter des blancs en neige

Pour un résultat optimum, utilisez des œufs vieux de 3 à
5 jours, ramenés à température ambiante. Assurez-vous
de la parfaite propreté de vos ustensiles qui doivent être
secs et non gras. Versez les blancs dans un grand saladier,
puis, à l'aide d'un fouet ballon, commencez par les battre
doucement, puis de plus en plus vite, dans un mouvement
ascendant jusqu'à obtention de la consistance désirée :
souple (les blancs doivent former des pics souples légèrement
tombants) ou fermes (les pics ne tombent pas et les blancs
ne coulent pas lorsque vous retournez le saladier). Attention
à ne pas trop les battre : ils perdraient de leur volume.

Cuisiner les œufs

Sortez les œufs du réfrigérateur au minimum 2 à 3 heures
avant de les utiliser.

à la coque ou durs

Considérée comme l'une des recettes culinaires les plus
simples à réaliser, la cuisson d'un œuf à la coque peut

malgré tout comporter quelques écueils faciles à surmonter
grâce à quelques astuces. Pour commencer, utilisez une
casserole suffisamment grande pour contenir tous les œufs,
mais assez petite pour les empêcher de bouger et de se
cogner les uns aux autres ou contre la paroi. Veillez à ce
qu'ils soient à température ambiante avant de les plonger
dans l'eau (celle-ci doit les recouvrir entièrement) : cela
permet de réduire le risque de cassure pendant la cuisson
et d'obtenir un temps de cuisson précis. Faites bouillir l'eau,
déposez les œufs dans la casserole à l'aide d'une cuillère,
puis réduisez à un léger frémissement avant de calculer
le temps de cuisson (4-5 minutes pour un œuf à la coque,
6-7 minutes pour un œuf mollet). Une autre méthode consiste
à plonger l'œuf dans l'eau froide et à la porter ensuite à
ébullition ; commencez alors à compter à partir du moment
où l'eau atteint son point d'ébullition (3-4 minutes pour
un œuf à la coque, 5-6 minutes pour un œuf mollet). Si l'œuf
se casse durant la cuisson, salez ou vinaigrez légèrement
l'eau pour éviter que son contenu ne s'échappe.

Augmentez le temps de cuisson à 10-12 minutes pour
des œufs durs (plongés dans l'eau froide). Lorsqu'ils sont
cuits, passez-les sous l'eau froide pour éviter la formation
d'un anneau noir ou vert autour du jaune (cette décoloration
n'affecte pas sa saveur mais elle est peu séduisante).

brouillés

Faites fondre une noix de beurre dans une poêle à fond
épais. Battez deux œufs par personne, assaisonnez-les
(pour éviter une texture caoutchouteuse, salez-les juste
avant la cuisson) et faites-les cuire à feu doux sans cesser
de remuer délicatement. Les œufs vont commencer
à prendre dès qu'ils toucheront la poêle. Un œuf brouillé
doit être souple et crémeux, avec des morceaux fermes.
Une fois obtenue la consistance désirée, retirez la poêle
du feu et servez aussitôt. Pour une saveur plus riche,
battez les œufs avec 1 ou 2 cuillerées à soupe de crème.

au plat

La clé pour réussir un œuf sur le plat réside dans une manipulation délicate. Faites chauffer 1-2 cuillerées à soupe d'huile dans une petite poêle jusqu'à ce qu'elle soit chaude, mais pas fumante. Cassez l'œuf dans une tasse ou une soucoupe et faites-le glisser délicatement dans la poêle afin que le jaune reste intact. Faites-le cuire de 2 à 3 minutes à feu moyen en le nappant de l'huile de cuisson, jusqu'à obtention de la cuisson désirée. Soulevez-le à l'aide d'une spatule et égouttez-le avant de le déposer sur une assiette. Si vous l'accompagnez de bacon, faites frire l'œuf dans sa graisse de cuisson pour un résultat délicieux garanti.

pochés

Les œufs peuvent être pochés dans un appareil spécialement conçu à cet effet ou, plus simplement, dans une poêle remplie d'eau. Si vous optez pour cette seconde méthode, utilisez uniquement des œufs très frais sinon ils risqueraient de se briser pendant la cuisson.

Si vous utilisez un pocheur à œufs, versez l'eau jusqu'à mi-hauteur du récipient inférieur et beurrez chaque pocheur. Portez l'eau à ébullition, cassez les œufs dans les pocheurs, puis assaisonnez-les et couvrez-les. Faites-les cuire à feu doux, retirez-les à l'aide d'une spatule et servez-les immédiatement.

Pour pocher les œufs dans une poêle, remplissez-la d'eau à hauteur de 5 cm et portez à ébullition. Cassez les œufs séparément dans des tasses ou des soucoupes. Réduisez le feu à un léger frémissement, puis faites glisser les œufs dans l'eau (ne la salez pas). Faites-les cuire sur feu doux jusqu'à ce qu'ils commencent à raffermir, puis retirez-les dans l'ordre dans lequel vous les avez mis, à l'aide d'une écumoire pour bien les égoutter. Salez et servez aussitôt.

au four

Les œufs au four sont meilleurs cuits dans des ramequins préalablement beurrés. Préchauffez le four à 190 °C, cassez un œuf dans chaque ramequin, salez-les, puis disposez-les dans un plat à rôtir avec environ 2 cm d'eau. Faites cuire les œufs de 15 à 20 minutes dans la partie supérieure du four et servez aussitôt.

cocotte

Cette recette se réalise dans une petite tasse en porcelaine munie d'un couvercle en acier. Beurrez la tasse, cassez-y un œuf, salez, poivrez et vissez le couvercle. Pendant ce temps, portez une casserole d'eau à ébullition, placez-y la tasse (l'eau devant arriver au niveau inférieur du couvercle) et faites cuire de 7 à 8 minutes à légers frémissements. L'œuf se mange à la petite cuillère, directement dans la tasse.

en omelette

Il est essentiel d'utiliser une poêle de taille correcte pour faire cuire une omelette. Si elle est trop grande, l'omelette mettra davantage de temps à prendre et sa texture sera trop ferme. Pour une omelette de 2 ou 3 œufs, utilisez une poêle de 20 cm. Cassez les œufs dans un bol, battez-les légèrement à la fourchette, puis assaisonnez-les. Ajoutez une cuillerée à café d'eau (transformée en vapeur pendant la cuisson, l'eau rendra l'omelette légère et aérienne). Fouettez quelques secondes supplémentaires, puis faites chauffer la poêle à feu moyen. Ajoutez une noix de beurre, augmentez à feu vif et faites fondre le beurre jusqu'à ce qu'il mousse. Versez alors les œufs en une seule fois en inclinant la poêle pour bien les répartir. Utilisez une cuillère pour ramener les œufs cuits vers le centre, en répétant l'opération jusqu'à obtention d'une omelette à la consistance ferme à la base et crémeuse en surface. Retirez-la du feu. À l'aide d'une fourchette, soulevez le bord de l'omelette et repliez-la sur elle-même en la faisant glisser sur un plat. Servez immédiatement.

petits déjeuners et
brunchs

œufs brouillés
au saumon fumé

pour 4 personnes

ingrédients

8 œufs

80 g de crème liquide

2 cuill. à soupe d'aneth frais haché
(plus pour garnir)

100 g de saumon fumé en petits morceaux

20 g de beurre

tranches de pain de campagne grillées

sel et poivre

Cassez les œufs dans un grand saladier et fouettez-les avec la crème et l'aneth.
Salez et poivrez. Incorporez le saumon fumé.

Faites fondre le beurre dans une grande poêle antiadhésive et versez-y la préparation
aux œufs et au saumon. À l'aide d'une spatule en bois, ramenez les œufs cuits
vers le centre et inclinez légèrement la poêle afin que ceux encore liquides se répandent
sur les bords.

Une fois les œufs cuits mais crémeux, retirez-les du feu et garnissez-en les tranches
de pain grillées. Servez les tartines aussitôt, coiffées d'un brin d'aneth.

muffins toastés
aux œufs, au bacon et au miel

pour 2 personnes

ingrédients

6 tranches de bacon découennées

1 cuill. à soupe de miel liquide

85 g de grains de maïs en boîte égouttés

2 petites tomates coupées en dés

1 cuill. à soupe de persil frais haché

4 œufs

2 muffins coupés en deux, toastés et beurrés

sel et poivre

Faites chauffer une poêle antiadhésive sur feu moyen. Faites-y rissoler les tranches de bacon, retournez-les, puis faites-les revenir sur l'autre face.

Nappez les tranches de bacon de miel et poursuivez leur cuisson 1 min, jusqu'à ce qu'elles se glacent légèrement. Maintenez-les au chaud.

Dans un petit saladier, mélangez le maïs, les dés de tomate et le persil haché. Salez, poivrez, puis faites cuire les œufs selon votre goût, sur le plat, pochés ou brouillés.

Garnissez les muffins toastés et beurrés de bacon au miel et d'œufs, ajoutez 1 cuill. à soupe de préparation au maïs et à la tomate, et servez aussitôt.

œufs à la florentine

pour 4 personnes

ingrédients

450 g de feuilles d'épinards frais rincées

50 g de beurre

50 g de champignons blancs en lamelles

50 g de pignons de pin grillés

6 tiges de ciboule hachées

4 œufs

30 g de farine au blé entier

30 cl de lait chaud

1 cuill. à café de moutarde anglaise

100 g de cheddar vieilli râpé

sel et poivre

Préchauffez le four à 190 °C. Égouttez les épinards et placez-les dans une grande poêle. Salez-les légèrement. Faites-les cuire de 2 à 3 min à feu moyen et à couvert, jusqu'à ce qu'ils se flétrissent. Égouttez-les à nouveau et pressez-les pour évacuer l'excès de liquide. Hachez-les et disposez-les dans un plat allant au four préalablement graissé. Dans une petite poêle, faites fondre 1 noix de beurre à feu moyen et faites-y sauter les champignons 2 min en remuant régulièrement. Ajoutez les pignons et la ciboule, et poursuivez la cuisson 2 min. Retirez la poêle du feu. Salez et poivrez, puis garnissez les épinards de ces champignons assaisonnés. Réservez.

Pendant ce temps, portez à ébullition une poêle remplie d'eau. Réduisez le feu et ramenez à un léger frémissement. Brisez délicatement un œuf dans une tasse et faites-le glisser dans cette eau frémissante, puis renouvelez l'opération avec les œufs restants. Pochez-les de 4 à 5 min, jusqu'à ce que le blanc raffermisse. Retirez-les à l'aide d'une écumoire et déposez-les sur le plat d'épinards.

Dans une casserole, faites fondre le beurre restant et faites-y revenir la farine 2 min. Retirez la casserole du feu. Versez progressivement le lait et reprenez la cuisson sans cesser de tourner jusqu'à ce que la préparation commence à bouillir et à épaissir. Incorporez la moutarde, puis 60 g de fromage en continuant de tourner jusqu'à ce qu'il fonde. Salez et poivrez. Nappez entièrement les œufs de sauce et saupoudrez du fromage restant. Mettez au four de 20 à 25 min, jusqu'à ce que le fromage soit gratiné. Servez ce plat brûlant.

huevos rancheros

pour 4 personnes

ingrédients

20 g de beurre ou
2 cuill. à soupe de saindoux

2 oignons hachés fin

2 gousses d'ail hachées fin

2 poivrons rouges ou jaunes évidés,
épépinés et coupés en dés

2 piments verts doux frais
égrenés et hachés fin

4 grosses tomates bien mûres
pelées et hachées

2 cuill. à soupe de jus de citron
ou de citron vert

2 cuill. à café d'origan séché

4 gros œufs

80 g de cheddar râpé

tortillas de blé ou de maïs chaudes
ou tortillas chips (facultatif)

toasts ou muffins (facultatif)

sel et poivre

Préchauffez le four à 180 °C. Dans une poêle à fond épais, faites fondre le beurre
à feu moyen, puis faites-y dorer l'ail et les oignons 5 min en remuant régulièrement.
Ajoutez les poivrons et les piments, et poursuivez la cuisson 5 min.

Lorsqu'ils commencent à s'attendrir, incorporez les tomates, le jus de citron et l'origan.
Salez et poivrez. Portez à ébullition, puis réduisez le feu et laissez mijoter 10 min
à couvert, jusqu'à épaississement. Si la préparation vous semble sèche, allongez-la
avec du jus de citron.

Transférez la préparation dans un grand plat allant au four. Pratiquez 4 puits dans
les légumes et brisez 1 œuf dans chacun de ces puits. Mettez au four de 12 à 15 min.

Dès que les œufs sont cuits, saupoudrez de fromage râpé et prolongez la cuisson
de 3 à 4 min, jusqu'à ce que le dessus soit gratiné. Servez immédiatement, accompagné
de tortillas de blé ou de maïs, de tortillas chips ou de traditionnels toasts ou muffins,
afin de saucer les jus délicieux.

œufs bénédictine

à la sauce hollandaise express

pour 4 personnes

ingrédients

1 cuill. à soupe de vinaigre de vin blanc
4 œufs
4 muffins
4 tranches de jambon de qualité supérieure

sauce hollandaise express
3 jaunes d'œufs
200 g de beurre
1 cuill. à soupe de jus de citron
poivre

Remplissez une grande poêle aux trois quarts d'eau. Portez à ébullition, réduisez le feu pour ramener à un léger frémissement, puis ajoutez le vinaigre. Lorsque l'eau recommence à frémir, cassez délicatement les œufs dans la poêle. Pochez-les 1 min, puis détachez-les doucement à l'aide d'une grande cuillère. Prolongez la cuisson de 3 min (les blancs doivent prendre et les jaunes rester liquides) en les pressant 2 à 3 fois rapidement sous l'eau avec la cuillère.

Pendant ce temps, préparez la sauce hollandaise : mettez les jaunes d'œufs dans un mixeur. Faites fondre le beurre dans une petite casserole jusqu'à ce qu'il mousse, puis versez-le progressivement dans le mixeur en filet régulier. Mixez jusqu'à obtention d'une sauce riche et crémeuse, puis incorporez le jus de citron. Si la sauce vous semble trop épaisse, ajoutez une petite quantité d'eau chaude. Poivrez la sauce, transférez-la dans un bol et maintenez-la au chaud.

Coupez les muffins en deux. Faites-les griller sur les deux faces et garnissez-les chacun d'une tranche de jambon, d'un œuf poché et d'une généreuse cuillerée de sauce hollandaise. Servez immédiatement.

œufs
à la mexicaine

pour 4 personnes

ingrédients

8 gros œufs

2 cuill. à soupe de lait

poivre

1 cuill. à café d'huile d'olive

1 poivron rouge épépiné et tranché fin

1/2 piment rouge frais

1 chorizo sans la peau coupé en dés

4 cuill. à soupe de coriandre
fraîche hachée

4 tranches de pain complet grillées
(pour servir)

Dans un grand saladier, battez les œufs et le lait avec un peu de poivre. Réservez.

Faites chauffer l'huile dans une poêle antiadhésive et faites-y revenir le poivron rouge et le piment 5 min, en tournant régulièrement jusqu'à ce que le poivron s'attendrisse et brunisse légèrement. Ajoutez le chorizo et poursuivez la cuisson. Lorsque le chorizo commence à rissoler, transférez la préparation dans un plat chaud. Réservez.

Remettez la poêle sur le feu. Versez-y la préparation aux œufs et brouillez-la (les œufs doivent rester crémeux). Incorporez délicatement la préparation aux poivrons et au chorizo. Saupoudrez de coriandre et servez aussitôt sur des tranches de pain complet grillées.

pancakes
aux myrtilles

pour 10/12 pancakes

ingrédients

125 g de farine

2 cuill. à soupe de sucre en poudre

2 cuill. à café de levure chimique

1/2 cuill. à café de sel

25 cl de babeurre

3 cuill. à soupe de beurre fondu

1 gros œuf

150 g de myrtilles rincées et séchées

huile de maïs ou de tournesol
(pour graisser)

beurre (pour servir)

sirop d'érable chaud (pour servir)

Préchauffez le four à 140 °C. Tamisez la farine, le sucre, la levure et le sel dans un grand saladier et pratiquez un puits profond au centre.

Dans un petit saladier séparé, mélangez le babeurre, le beurre et l'œuf. Versez cette préparation dans le puits et incorporez-y progressivement le mélange farineux en fouettant du bord vers le centre, jusqu'à obtention d'une pâte lisse. Ajoutez les myrtilles et mélangez doucement.

Faites chauffer une grande poêle sur feu assez vif (une goutte d'eau jetée sur sa surface doit « danser »), puis huilez-la légèrement à l'aide d'un pinceau ou d'une feuille de papier absorbant froissée.

Versez 1 louche de pâte dans la poêle et étalez-la en cercle de 10 cm de diamètre. Renouvelez l'opération autant de fois que la poêle peut contenir de pancakes et faites-les cuire jusqu'à ce qu'ils lèvent et que de petites bulles se forment à la surface. Retournez-les et laissez cuire l'autre face (environ 1 à 2 min pour que la base blondisse). Transférez ces pancakes dans un plat et maintenez-les au chaud dans le four pendant que vous faites cuire la pâte restante, sans oublier de graisser régulièrement la poêle.

Servez les pancakes garnis d'une noisette de beurre et accompagnés de sirop d'érable chaud.

pain perdu
au sirop d'érable

pour 4/6 personnes

<table>
<tr><td>

ingrédients

6 œufs

20 cl de lait

1 grosse pincée de cannelle en poudre

12 tranches de pain Challah
ou de pain blanc de la veille

30 g de beurre ou de margarine
(plus pour servir)

huile de tournesol ou de maïs

sirop d'érable chaud (pour servir)

sel

</td><td>

Préchauffez le four à 140 °C. Versez le lait dans un grand saladier. Plongez-y les tranches de pain en appuyant pour bien les imbiber. Dans un autre saladier, cassez les œufs et battez-les avec la cannelle et le sel. Passez les tranches de pain dans cette préparation pour les napper entièrement d'œuf. Laissez-les tremper 1 à 2 min (retournez-les une fois).

Dans une grande poêle, faites fondre la moitié du beurre avec 1/2 cuill. à soupe d'huile. Disposez autant de tranches de pain que la poêle peut en contenir et faites-les dorer de 2 à 3 min.

Retournez-les et faites-les rissoler sur l'autre face. Transférez les tranches dans un plat et maintenez-les au chaud dans le four pendant que vous faites cuire les tranches restantes, sans oublier de graisser régulièrement la poêle.

Servez le pain perdu nappé de beurre fondu et accompagné de sirop d'érable chaud.

</td></tr>
</table>

œufs pochés aux asperges
et au parmesan

pour 4 personnes

ingrédients

300 g d'asperges parées
4 gros œufs
90 g de parmesan
poivre

Portez deux casseroles d'eau à ébullition. Plongez les asperges dans l'une d'elles et faites-les cuire environ 5 min à partir du moment où l'eau recommence à frémir, jusqu'à ce qu'elles soient tendres.

Pendant ce temps, réduisez le feu sous la seconde casserole afin de ramener l'eau à un léger frémissement, puis cassez-y délicatement les œufs un à un. Pochez-les 3 min : les blancs doivent être fermes et les jaunes encore souples. Sortez les œufs de l'eau à l'aide d'une écumoire.

Égouttez les asperges et répartissez-les dans 4 assiettes chaudes. Garnissez chaque assiette d'un œuf poché, de copeaux de parmesan, poivrez et servez aussitôt.

plats légers et
garnitures

omelette mousseuse
aux crevettes

pour 2/4 personnes

ingrédients

120 g de crevettes cuites décortiquées
ou surgelées et décongelées
4 tiges de ciboule hachées
50 g de courgettes râpées
4 œufs
1 filet de Tabasco
2 cuill. à soupe de lait
1 cuill. à soupe d'huile d'olive ou de maïs
25 g de cheddar vieilli râpé
sel et poivre

Faites sécher les crevettes sur du papier absorbant. Dans un saladier, mélangez-les à la ciboule et aux courgettes. Réservez le tout.

Séparez les blancs et les jaunes des œufs. Dans un bol, battez les jaunes d'œufs à la fourchette avec le Tabasco, le lait et un peu de sel et de poivre.

Montez les blancs en neige ferme dans un grand saladier et incorporez délicatement les jaunes d'œufs assaisonnés, en veillant à ne pas trop brasser.

Faites chauffer l'huile dans une grande poêle antiadhésive. Lorsqu'elle est chaude, faites-y cuire les œufs environ 5 min à feu doux, jusqu'à ce qu'ils commencent à prendre. Préchauffez le gril du four.

Nappez l'omelette de préparation aux crevettes, saupoudrez-la de fromage râpé, puis passez-la de 2 à 3 min sous le gril du four, le temps qu'elle se colore. Servez-la aussitôt, découpée en quartiers.

tortilla
à l'espagnole

pour 8 personnes

ingrédients

. 500 g de pommes de terre fermes

50 cl d'huile d'olive

2 oignons hachés

4 œufs

brins de persil plat frais (pour garnir)

sel et poivre

Pelez les pommes de terre, détaillez-les en petits dés ou en quartiers, puis faites-les sécher parfaitement sur un linge propre. Faites chauffer l'huile d'olive dans une grande poêle à fond épais ou antiadhésive et jetez-y les pommes de terre et les oignons. Réduisez le feu. Faites-les cuire 20 min en tournant régulièrement pour éviter que les pommes de terre ne forment une masse compacte : elles doivent s'attendrir sans se colorer. La clé de la réussite réside dans une cuisson longue à feu doux, au cours de laquelle elles vont absorber la saveur de l'huile sans rissoler et sans se désagréger. Elles sont en fait plus bouillies que sautées.

Pendant ce temps, battez légèrement les œufs dans un grand bol. Salez et poivrez.

Placez une passoire au-dessus d'un grand saladier et égouttez-y les pommes de terre et les oignons afin de recueillir l'huile de cuisson dans le saladier. Réservez cette huile. Une fois les pommes de terre et les oignons parfaitement égouttés, incorporez-les délicatement aux œufs battus.

Essuyez la poêle ou lavez-la si nécessaire (ainsi, la tortilla n'attachera pas). Faites chauffer 2 cuill. à soupe de l'huile d'olive réservée, puis versez la préparation aux œufs et aux pommes de terre en une seule fois dans la poêle. Réduisez le feu et faites-la cuire 3 à 5 min en enfonçant les pommes de terre dans les œufs à l'aide d'une spatule et en soulevant la tortilla.

Lorsque la base est cuite, couvrez la poêle d'une assiette. Maintenez cette assiette d'une main, puis retournez la poêle rapidement de façon à transférer la tortilla sur l'assiette. Faites-la glisser à nouveau dans la poêle, côté cuit sur le dessus (ajoutez auparavant un peu d'huile si nécessaire) et poursuivez la cuisson de 3 à 5 min, jusqu'à ce que la base prenne : la tortilla doit être ferme et croustillante en surface, et légèrement crémeuse au cœur. Transférez-la sur un plat, laissez-la reposer 15 min, puis servez-la chaude ou froide, découpée en petits carrés, en bâtonnets ou en quartiers, et garnie de brins de persil.

œufs brouillés
au tofu

pour 4/6 personnes

ingrédients

ingrédients

200 g de tofu mou en dés de 1 cm

4 œufs battus

100 g de ciboulette chinoise hachée fin

1 cuill. à soupe de vin de riz Shaoxing

3 cuill. à soupe d'huile

4 à 5 cuill. à soupe de bouillon de légumes

1 pincée de sel

Faites cuire le tofu 2 min dans une grande casserole d'eau bouillante. Égouttez-le et réservez-le.

Battez les œufs avec le sel, la moitié de la ciboulette et 1 cuill. à café de vin de riz.

Dans un wok ou une grande poêle préchauffés, faites chauffer 2 cuill. à soupe d'huile et brouillez-y les œufs environ 2 min. Retirez-les du feu et réservez-les.

Dans le wok ou la poêle nettoyés, faites chauffer l'huile restante et faites sauter les dés de tofu 2 min. Ajoutez le vin de riz restant et le bouillon, poursuivez la cuisson 3 min à feu doux, puis ajoutez les œufs brouillés et la ciboulette restante. Mélangez et servez aussitôt.

frittata
aux courgettes et aux champignons

pour 2 personnes

ingrédients

10 g de beurre
1 cuill. à soupe d'huile d'olive
180 g de courgettes coupées en rondelles
120 g de champignons de Paris
coupés en lamelles
1 gousse d'ail pelée et hachée fin
4 œufs
6 cuill. à soupe de lait
3 cuill. à soupe de persil frais haché
sel et poivre

Dans une poêle, faites fondre le beurre dans l'huile à feu doux.

Augmentez à feu moyen et faites dorer les courgettes environ 5 min, en brassant régulièrement.

Ajoutez les champignons et prolongez la cuisson de 2 à 3 min, jusqu'à ce que les champignons soient tendres, puis incorporez l'ail.

Cassez les œufs dans un bol et battez-les vigoureusement à l'aide d'un fouet ballon. Sans cesser de fouetter, ajoutez le lait, puis salez et poivrez. Réduisez le feu sous la poêle. Nappez les légumes de cette préparation, saupoudrez de persil et faites cuire la frittata de 5 à 6 min, jusqu'à ce qu'elle soit ferme tout en restant crémeuse (la base doit être cuite).

Pour parfaire la cuisson de la frittata, passez la poêle 2 min sous le gril du four chaud jusqu'à ce que la surface prenne (si la poignée de la poêle ne résiste pas à la chaleur, ou si vous n'avez pas de gril, retournez la frittata sur une assiette et remettez-la dans la poêle pour la faire cuire sur l'autre face, environ 2 min à feu doux). Coupez-la en parts et servez-la bien chaude.

œufs à la diable

pour 16 portions

ingrédients

8 gros œufs

2 pimientos entiers (petits piments
rouges doux) en conserve

8 olives vertes

5 cuill. à soupe de mayonnaise

8 gouttes de Tabasco

I grosse pincée de poivre de Cayenne

paprika (pour saupoudrer)

brins d'aneth frais (pour garnir)

sel et poivre

Mettez les œufs dans une casserole et recouvrez-les d'eau froide. Portez lentement à ébullition. Dès que l'eau commence à bouillir, réduisez à feu très doux et poursuivez la cuisson 10 min à couvert. Égouttez les œufs cuits et passez-les immédiatement sous l'eau froide. Cognez-les doucement afin de fissurer les coquilles, puis laissez-les reposer jusqu'à refroidissement complet. Écalez-les.

À l'aide d'un couteau, tranchez les œufs en deux dans le sens de la longueur et retirez délicatement les jaunes. Réservez les blancs et déposez les jaunes dans un tamis en nylon à mailles moyennes placé au-dessus d'un saladier. Passez-les au travers en les écrasant à l'aide d'une cuillère en bois ou d'une fourchette.

Séchez les pimientos sur du papier absorbant, puis détaillez-les finement, ainsi que les olives, en réservant 16 gros morceaux ou lanières de chacun pour la garniture. Si vous farcissez les œufs à l'aide d'une poche à douille, hachez ces deux ingrédients le plus finement possible, de façon qu'ils puissent passer à travers une douille de 1 cm.

Incorporez les pimientos et les olives aux jaunes d'œufs écrasés. Ajoutez la mayonnaise, mélangez légèrement, puis ajoutez le Tabasco, le poivre de Cayenne, salez et poivrez.

Transférez ce mélange dans un sac à douille simple de 1 cm et garnissez-en les blancs d'œufs. Vous pouvez également farcir les œufs à l'aide d'une cuillère à café. Disposez les œufs sur un plat et coiffez-les chacun d'une lanière de pimiento et d'un morceau d'olive. Saupoudrez de paprika et décorez de brins d'aneth.

riz à l'œuf frit

pour 4 personnes

Faites chauffer l'huile dans un wok ou une poêle profonde préchauffés et faites frire le riz 1 min en séparant bien les grains.

2 cuill. à soupe d'huile

350 g de riz cuit refroidi

1 œuf battu

Incorporez rapidement l'œuf en mélangeant. Continuez de brasser jusqu'à ce qu'il soit brouillé et réparti uniformément dans le riz. Servez aussitôt.

Route de Fontainebleau
91490 MILLY-LA-FOR
Tel:01 64 98 85 97 Fax:

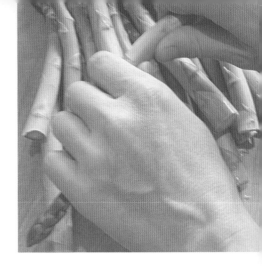

asperges
à la sauce hollandaise

pour 4 personnes

ingrédients

600 g d'asperges blanches ou vertes

sauce hollandaise
4 cuill. à soupe de vinaigre de vin blanc
1/2 cuill. à soupe d'échalote hachée fin
5 grains de poivre noir
1 feuille de laurier
3 gros jaunes d'œufs
140 g de beurre coupé en petits dés
2 cuill. à café de jus de citron
1 pincée de poivre de Cayenne
2 cuill. à soupe de crème liquide (facultatif)
sel

Retirez le bout ligneux des asperges (qu'elles soient vertes ou blanches). Tranchez-les de façon qu'elles aient la même taille, puis, à l'aide d'un petit couteau ou d'un économe, retirez les parties fibreuses en glissant de la pointe vers la base de la tige. Portez une bouilloire d'eau à ébullition. Liez les asperges en 4 bouquets avec de la ficelle de cuisine (passez celle-ci en croix sous les pointes, puis sur la base, de façon que les bouquets puissent tenir verticalement dans une cocotte).

Disposez-les verticalement dans la cocotte la plus profonde que vous ayez. Recouvrez-les d'eau bouillante aux trois quarts des tiges puis couvrez-les en posant par-dessus une feuille de papier d'aluminium (côté brillant vers le bas). Portez l'eau à frémissement et faites cuire les asperges 10 min, jusqu'à ce qu'elles soient tendres (vérifiez leur cuisson en piquant les tiges de la pointe d'un couteau).

Pendant ce temps, préparez la sauce hollandaise : dans une petite casserole, faites bouillir à feu vif le vinaigre, l'échalote, les grains de poivre et la feuille de laurier. Faites réduire ce mélange jusqu'à l'équivalent de 1 cuill. à soupe, laissez-le refroidir légèrement, puis tamisez-le au-dessus d'un saladier résistant à la chaleur (celui-ci doit pouvoir tenir au-dessus d'une casserole d'eau frémissante sans toucher l'eau). Battez les jaunes d'œufs dans cette préparation.

Placez le saladier au-dessus d'une casserole d'eau frémissante (veillez à ne pas laisser bouillir l'eau) et fouettez les jaunes d'œufs jusqu'à ce qu'ils épaississent. Incorporez les dés de beurre un à un, sans cesser de fouetter jusqu'à obtention d'une sauce à la consistance d'une mayonnaise peu épaisse. Salez, incorporez le jus de citron, le poivre de Cayenne, puis la crème, si vous le désirez, pour une saveur plus riche. Transférez cette sauce dans 4 petits bols.

Égouttez les asperges, dénouez-les et dressez-les sur des assiettes. Servez-les immédiatement, accompagnées de la sauce hollandaise chaude dans laquelle vous tremperez leurs pointes.

salade niçoise

pour 2 personnes

ingrédients

2 laitues (romaine ou beurre)

2 œufs durs (voir page 9)

8 tomates cerises olivettes

200 g de thon en boîte égoutté

50 g de haricots verts blanchis 2 min

4 filets d'anchois tranchés

12 olives noires dénoyautées

assaisonnement

4 cuill. à soupe d'huile d'olive

1 cuill. à soupe de vinaigre d'estragon

1 gousse d'ail pelée et écrasée

1/4 de cuill. à soupe de moutarde

2 cuill. à soupe d'estragon, de persil
et de ciboulette hachés

sel et poivre

Commencez par préparer l'assaisonnement : versez tous les ingrédients nécessaires dans un bocal et secouez-le pour bien les mélanger.

Tranchez les laitues en quatre. Répartissez-les dans 2 grands bols. Écalez les œufs, coupez-les en quatre et dressez-les sur les feuilles de laitue.

Coupez les tomates en deux et émiettez le thon. Répartissez-les dans les 2 bols avec les haricots verts.

Garnissez les bols de filets d'anchois et d'olives.

Nappez d'assaisonnement et servez aussitôt.

mayonnaise

pour environ 300 g

ingrédients

2 gros jaunes d'œufs
2 cuill. à café de moutarde de Dijon
2 cuill. à soupe de jus de citron
ou de vinaigre de vin blanc
environ 30 cl d'huile de tournesol
1/2 cuill. à café de sel
1 pincée de poivre blanc

Sortez tous les ingrédients du réfrigérateur environ 30 minutes avant de préparer la mayonnaise : tous les ingrédients doivent être à température ambiante.

Mixez les jaunes d'œufs avec la moutarde de Dijon, le sel et le poivre blanc ou battez-les au fouet. Ajoutez le jus de citron. Mixez à nouveau.

Sans cesser de mixer ou de fouetter, versez l'huile, tout d'abord goutte à goutte, puis en filet régulier à mesure que la sauce épaissit. Goûtez et rectifiez l'assaisonnement en ajoutant du sel, du poivre et du jus de citron si nécessaire. Si la mayonnaise vous paraît trop épaisse, incorporez lentement 1 cuill. à soupe d'eau chaude, de crème liquide ou de jus de citron.

Utilisez-la immédiatement ou conservez-la au réfrigérateur et consommez-la dans les deux jours.

plats
principaux

œufs aux tomates et aux oignons

au four

pour 4/6 personnes

100 g de beurre (plus pour graisser)

2 gros oignons tranchés fin

500 g de tomates pelées et
coupées en fines rondelles

100 g de pain émietté

4 œufs

sel et poivre

Préchauffez le four à 180 °C et beurrez un plat allant au four.

Dans une poêle à fond épais, faites fondre 3 cuill. à soupe de beurre à feu doux
et faites-y cuire les lamelles d'oignon 5 min en mélangeant régulièrement, jusqu'à
ce qu'elles deviennent translucides.

Garnissez le plat de couches successives d'oignons, de tomates et de chapelure
en salant et en poivrant chaque couche. Parsemez du beurre restant en noix,
mettez le plat au four et laissez cuire 40 min.

Avec le dos d'une cuillère, pratiquez 4 puits à la surface du gratin de légumes et
cassez 1 œuf dans chacun de ces puits. Remettez au four et poursuivez la cuisson
15 min, jusqu'à ce que les œufs commencent à prendre. Servez immédiatement.

soufflés au fromage et aux herbes

pour 6 soufflés

ingrédients

40 g de beurre (plus pour graisser)

40 g de farine

40 cl de lait

250 g de ricotta

2 cuill. à soupe de persil frais haché fin

2 cuill. à soupe de thym frais haché fin

1 cuill. à soupe de romarin frais haché fin

4 jaunes d'œufs

6 blancs d'œufs

250 g de crème liquide

6 cuill. à soupe de parmesan râpé

champignons blancs sautés (pour servir)

sel et poivre

Préchauffez le four à 180 °C. Badigeonnez de beurre fondu 6 moules à soufflé de 9 cm de diamètre et réservez-les.

Faites fondre le beurre dans une casserole de taille moyenne, ajoutez la farine et faites-la cuire 30 s en mélangeant constamment. Ajoutez le lait et poursuivez la cuisson à feu doux en continuant de mélanger jusqu'à ce que la préparation épaississe. Prolongez alors la cuisson de 30 s, puis retirez la casserole du feu et ajoutez la ricotta, les herbes et les jaunes d'œufs. Salez et poivrez.

Dans un saladier propre, montez les blancs d'œufs en neige ferme. Incorporez-les délicatement à la préparation. À l'aide d'une cuillère, garnissez les moules de ce mélange (presque à ras bord), puis disposez-les dans un plat à rôtir. Remplissez le plat d'eau à mi-hauteur et mettez-le au four. Faites cuire les soufflés de 15 à 20 min jusqu'à ce qu'ils lèvent et dorent, puis laissez-les refroidir 10 min avant de les démouler délicatement. Transférez-les dans un plat allant au four légèrement graissé.

Augmentez la température du four à 200 °C. Nappez les soufflés de crème liquide, saupoudrez-les de parmesan, puis enfournez-les à nouveau 15 min. Servez-les dès la sortie du four, accompagnés de champignons sautés.

quiche lorraine

pour une quiche de 23 cm de diamètre

Préparez la pâte : tamisez la farine et le sel dans un saladier, puis incorporez le beurre à la main jusqu'à obtention d'un mélange friable. Ajoutez le fromage râpé et l'eau pour lier le tout. Façonnez la pâte en boule, enveloppez-la de papier d'aluminium, puis laissez-la reposer 15 min au réfrigérateur.

Préchauffez le four à 190 °C. Abaissez la pâte sur une surface légèrement farinée et garnissez-en un moule carré de 23 cm. Placez le moule sur une plaque à pâtisserie. Piquez le fond de tarte à la fourchette, puis tapissez-le de papier d'aluminium ou sulfurisé, recouvrez de haricots secs et mettez au four environ 15 min, jusqu'à ce que les contours de la pâte commencent à dorer. Retirez le papier et les haricots et poursuivez la cuisson de 5 à 7 min. Lorsque le fond de tarte est sec, sortez-le du four avec la plaque et laissez-le refroidir quelques minutes.

Étendez uniformément les fromages et les lardons sur la pâte. Mélangez les œufs et la crème dans un bol. Salez et poivrez, puis nappez le fromage et les lardons de cette préparation. Mettez la quiche au four 20 min, jusqu'à ce que la garniture prenne et que la pâte se colore.

Laissez reposer la quiche 10 min dans son moule. Servez aussitôt ou transférez-la sur une grille afin de la laisser refroidir complètement, puis couvrez-la et placez-la au réfrigérateur. Faites-la revenir à température ambiante avant de la servir.

spaghettis
alla carbonara

pour 4 personnes

ingrédients

500 g de spaghettis secs

1 cuill. à soupe d'huile d'olive

1 gros oignon haché fin

2 gousses d'ail hachées

200 g de lardons

30 g de beurre

200 g de champignons en lamelles fines

300 g de crème fraîche épaisse

3 œufs

100 g de parmesan fraîchement râpé (plus pour servir)

feuilles de sauge fraîche (pour garnir)

sel et poivre

Portez une grande casserole d'eau légèrement salée à ébullition sur feu moyen et faites cuire les pâtes *al dente* de 8 à 10 min. Égouttez-les parfaitement, remettez-les dans la casserole et maintenez-les au chaud.

Pendant ce temps, faites chauffer l'huile d'olive à feu moyen dans une poêle et faites sauter l'oignon jusqu'à ce qu'il devienne translucide. Ajoutez alors l'ail et les lardons et poursuivez la cuisson. Lorsque les lardons rissolent, transférez le tout sur un plat chaud.

Dans la même poêle, faites fondre le beurre à feu doux et faites-y revenir les champignons 3 à 4 min. Remettez les lardons dans la poêle, couvrez et maintenez au chaud.

Dans un saladier, battez la crème, les œufs et le fromage. Salez et poivrez.

Incorporez rapidement le lard et les champignons aux pâtes, puis transférez le tout dans le saladier. Brassez à l'aide de deux fourchettes pour bien mélanger les pâtes aux œufs et servez aussitôt, garni de sauge et accompagné de parmesan.

œufs fu yung

pour 4/6 personnes

Battez les œufs avec le sel et le poivre. Faites fondre le beurre dans une poêle, versez-y les œufs en une seule fois et faites-les cuire en omelette. Découpez cette omelette en lanières.

Dans un wok ou une poêle profonde préchauffés, faites chauffer l'huile et rissoler l'ail jusqu'à ce que son arôme se libère. Ajoutez l'oignon et poursuivez la cuisson 1 min. Ajoutez le poivron et faites cuire 1 min supplémentaire en mélangeant.

Incorporez le riz et mélangez bien. Lorsque les grains de riz sont séparés, versez la sauce soja. Poursuivez la cuisson 1 min.

Ajoutez enfin la ciboule et les lanières d'œufs, brassez, puis mélangez le tout avec les germes de soja et l'huile de sésame. Faites frire encore 1 min et servez.

œufs sur lit de légumes

pour 4 personnes

ingrédients

4 cuill. à soupe d'huile d'olive

2 poivrons verts évidés, épépinés et hachés

1 gros oignon haché

2 gousses d'ail écrasées

12 rondelles de chorizo d'environ 5 mm d'épaisseur (avec ou sans la peau)

1 grosse pincée de paprika espagnol doux ou fumé

800 g de tomates pelées en boîte hachées

1 pincée de sucre en poudre

200 g de pommes de terre nouvelles cuites coupées en dés de 1 cm

100 g de haricots verts hachés

100 g de petits pois surgelés ou frais écossés

4 gros œufs

sel et poivre

Préchauffez le four à 180 °C. Dans une poêle à fond épais, faites chauffer l'huile d'olive à feu assez vif et saisissez-y les poivrons et l'oignon 2 min. Ajoutez l'ail, le chorizo et le paprika et poursuivez la cuisson 3 min (les poivrons et l'oignon doivent s'attendrir sans se colorer).

Incorporez les tomates avec leur jus et le sucre, salez et poivrez. Portez à ébullition, puis réduisez le feu et laissez mijoter environ 10 min sans couvrir.

Ajoutez les pommes de terre, les haricots verts et les petits pois. Faites revenir le tout à feu doux environ 7 min, jusqu'à ce que les pommes de terre soient réchauffées, et les haricots et les petits pois cuits.

Répartissez ce mélange de légumes dans 4 petites cassolettes en terre cuite, ou dans des petits plats individuels. Rectifiez l'assaisonnement si nécessaire. Cassez 1 œuf dans chaque cassolette et faites-les cuire 10 min au four, jusqu'à ce que les jaunes aient pris la consistance souhaitée. Servez aussitôt.

migas

pour 4 personnes

ingrédients

20 g de beurre

6 gousses d'ail hachées fin

1 piment vert frais, comme un jalapeno
ou un serrano, égrené et coupé en dés

1 cuill. à café de cumin en poudre

6 tomates mûres grossièrement hachées

8 œufs légèrement battus

8-10 tortillas de maïs tendres, coupées
en lanières et fritoc, ou uno quantité
égale de tortillas chips non salées

4 cuill. à soupe de coriandre fraîche hachée

4 tiges de ciboules hachées

piment doux en poudre (pour garnir)

Faites fondre la moitié du beurre dans une poêle et faites-y revenir l'ail et le piment jusqu'à ce qu'ils soient tendres, sans les colorer. Ajoutez le cumin et poursuivez la cuisson 30 s en mélangeant. Ajoutez enfin les tomates et laissez cuire 3 à 4 min supplémentaires à feu moyen, jusqu'à complète absorption du jus des tomates. Transvasez la préparation dans un saladier et réservez-la.

Faites fondre le beurre restant à feu doux dans la poêle et faites-y cuire les œufs en mélangeant jusqu'à ce qu'ils soient fermes. Remettez alors la préparation aux tomates dans la poêle et incorporez-la délicatement aux œufs.

Ajoutez les lanières de tortilla ou les chips et prolongez la cuisson en mélangeant une ou deux fois jusqu'à obtention de la consistance désirée. Les tortillas doivent être souples et moelleuses.

Transférez la préparation sur un plat et entourez-la de coriandre et de ciboule. Servez aussitôt, saupoudré de piment doux.

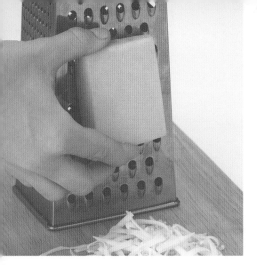

œufs au nid

pour 4 personnes

ingrédients

900 g de pommes de terre
farineuses non pelées
175 g de beurre
environ 25 cl de lait
4 œufs
50 g de cheddar râpé
sel et poivre

Préchauffez le four à 200 °C. Portez une grande casserole d'eau salée à ébullition et faites-y cuire les pommes de terre 25 min environ, jusqu'à ce qu'elles soient tendres.

Égouttez-les, épluchez-les, puis transférez-les dans un saladier. Ajoutez 100 g de beurre dans les pommes de terre et écrasez-les bien (il ne doit plus y avoir aucun grumeau). Salez et poivrez. Incorporez la moitié du lait en fouettant vigoureusement jusqu'à obtention d'une purée lisse. Si nécessaire, ajoutez du lait, mais ne cessez jamais de battre.

Beurrez légèrement 4 cassolettes allant au four. À l'aide d'une cuillère, répartissez la purée dans les 4 plats et pratiquez un puits au centre de chacun. Déposez une petite noix du beurre restant dans chaque cavité, puis cassez-y 1 œuf. Salez et poivrez.

Avec les dents d'une fourchette, dessinez délicatement un sillon autour de chaque œuf afin de créer un « nid ». Saupoudrez de fromage râpé, mettez au four et laissez cuire 15 min (les blancs doivent raffermir et les jaunes rester souples). Servez aussitôt.

pâtisseries et
desserts

pavlova au chocolat et aux framboises

pour 8/10 personnes

ingrédients

4 blancs d'œufs

220 g de sucre en poudre

1 cuill. à café de Maïzena

1 cuill. à café de vinaigre de vin blanc

1 cuill. à café d'extrait de vanille

pour servir

300 g de crème fraîche épaisse

1 cuill. à soupe de sucre en poudre

2 cuill. à soupe de liqueur de framboise

180 g de framboises

50 g de chocolat doux amer en copeaux

Préchauffez le four à 150 °C. Dans un grand saladier, battez les blancs en neige ferme et ajoutez progressivement la moitié du sucre en poudre. Dans un autre saladier, mélangez le sucre restant et la Maïzena. Incorporez ce mélange aux blancs d'œufs sucrés en fouettant jusqu'à obtention d'une préparation ferme et luisante.

Ajoutez rapidement le vinaigre et l'extrait de vanille.

Disposez la masse de meringue sur une plaque de cuisson recouverte de papier sulfurisé et étalez-la de façon à former un large cercle uniforme (donnez-lui un joli mouvement ondulé au sommet).

Mettez la meringue au centre du four et laissez-la cuire 1 h.

Laissez-la refroidir légèrement, puis retirez le papier sulfurisé et transférez-la sur un grand plat. Elle va diminuer et craqueler, mais ne vous inquiétez pas. Elle se conservera jusqu'à 2 jours dans une boîte hermétique.

Une heure avant de servir, fouettez la crème, le sucre et la liqueur de framboise jusqu'à obtention d'une crème souple et épaisse. Garnissez-en la pavlova, puis saupoudrez le tout de framboises et de copeaux de chocolat. Laissez reposer au frais avant de servir.

crêpes

pour 10/12 crêpes

ingrédients

250 g de farine
3 œufs battus
50 cl de lait
20 g de beurre fondu
beurre ou huile
(pour graisser la poêle)
1 pincée de sel

pour servir

quartiers de citron
sucre en poudre
miel chaud ou confiture

Tamisez la farine et le sel dans un grand saladier et pratiquez un puits profond au centre. Versez-y les œufs et fouettez du bord vers le centre pour ramener la farine sur les œufs. Délayez avec le lait et fouettez jusqu'à obtention d'une pâte ayant la consistance d'une crème fluide. Ajoutez le beurre, mélangez et laissez la pâte reposer 30 min.

Faites chauffer une crêpière ou une grande poêle à fond épais sur feu moyen et badigeonnez-la avec 1 cuill. à café de beurre ou d'huile.

Versez une louche de pâte au centre de la poêle et répartissez-la en inclinant la poêle. Faites cuire la crêpe environ 30 s, puis soulevez-la légèrement pour vérifier sa cuisson (la base doit être prise et les contours dorés). Détachez-la et retournez-la à l'aide d'une spatule. Vous pouvez également la faire sauter d'un petit coup sec du poignet après l'avoir bien détachée de la poêle.

Faites cuire la crêpe sur l'autre face, puis faites-la glisser sur un plat chaud. Recouvrez-la de papier d'aluminium et maintenez-la au chaud. Faites cuire les autres crêpes en procédant de la même façon, sans oublier de graisser régulièrement la poêle. Placez une feuille de papier sulfurisé entre chaque crêpe pour éviter qu'elles ne collent les unes aux autres.

Servez avec du citron et du sucre, du miel chaud, de la confiture ou une garniture de votre choix.

mousse
au cassis

pour 4/6 personnes

Préparez une purée de cassis : dans une casserole de taille moyenne, faites cuire les baies 2 à 3 min à feu doux avec la moitié du sucre, jusqu'à dissolution du sucre et obtention d'un sirop épais. Laissez le sirop refroidir. Filtrez-le dans une passoire fine placée au-dessus d'un saladier de façon à obtenir environ 30 cl de purée liquide.

Cassez les œufs et séparez les blancs des jaunes. Réservez les blancs. Battez les jaunes et le sucre restant dans un saladier à l'aide d'un batteur électrique jusqu'à obtention d'une crème fluide et épaisse.

Mettez la gélatine dans un bol résistant à la chaleur avec 3 cuill. à soupe d'eau. Laissez macérer de 1 à 2 min, puis placez ce bol dans une petite casserole remplie à mi-hauteur d'eau. Laissez mijoter de 2 à 3 min sur feu doux, le temps de dissoudre la gélatine. Lorsque celle-ci est chaude et claire, incorporez-la à la purée de cassis. Mélangez cette purée à la préparation aux œufs, puis ajoutez la crème en mélangeant jusqu'à obtention d'une préparation à la consistance homogène.

Battez les blancs d'œufs en neige souple. Incorporez-les délicatement à la préparation au cassis. Transférez la mousse obtenue dans un plat et lissez-la à la spatule. Laissez-la reposer de 2 à 3 h au frais, couverte de film alimentaire, jusqu'à ce qu'elle raffermisse.

Pour servir, saupoudrez de sucre glace tamisé, garnissez de feuilles de menthe et accompagnez de crème liquide.

muffins à la pomme et à la cannelle

pour 6 muffins

Préchauffez le four à 200 °C. Graissez les 6 cavités d'un moule à muffins ou préparez 6 caissettes en papier adaptées au four.

Tamisez les deux farines, la levure chimique, le sel et la cannelle dans un grand saladier, puis ajoutez le sucre et les morceaux de pommes. Dans un autre saladier, battez le lait, l'œuf et le beurre fondu. Ajoutez-les au premier mélange et incorporez-y progressivement les ingrédients secs, en fouettant du bord vers le centre, jusqu'à obtention d'une pâte homogène. Répartissez la pâte obtenue dans les moules.

Pour la garniture, saupoudrez les morceaux de sucre brun de cannelle, parsemez-en les muffins.

Mettez les muffins au four et laissez-les cuire de 20 à 25 min jusqu'à ce qu'ils lèvent et dorent. Servez-les chauds ou froids.

tartelettes
à la crème brûlée

pour 6 tartelettes

ingrédients

pâte

150 g de farine

25 g de sucre en poudre

125 g de beurre en petits morceaux

1 cuill. à soupe d'eau

garniture

4 jaunes d'œufs

50 g de sucre en poudre

400 g de crème fraîche épaisse

1 cuill. à café d'extrait de vanille

cassonade (pour saupoudrer)

groseilles et framboises fraîches (pour garnir)

Préparez la pâte : mettez la farine et le sucre dans un grand saladier, incorporez le beurre à la main jusqu'à obtention d'un mélange friable. Ajoutez l'eau pour lier le tout et façonnez la pâte en boule. Enveloppez-la de film alimentaire et laissez-la reposer 30 min au frais. Préchauffez le four à 190 °C.

Abaissez la pâte sur une surface légèrement farinée, puis garnissez-en 6 moules à tartelette. Piquez les fonds à la fourchette et laissez-les reposer 20 min au frais.

Tapissez les moules de papier aluminium ou sulfurisé, recouvrez de haricots secs, puis enfournez 15 min. Lorsque les contours de la pâte commencent à dorer, retirez le papier d'aluminium et les haricots, poursuivez la cuisson 10 min, puis laissez refroidir.

Pendant ce temps, préparez la garniture : battez les jaunes d'œufs et le sucre dans un saladier jusqu'à ce que le mélange blanchisse. Dans une casserole, chauffez la crème avec l'extrait de vanille, puis incorporez-la aux jaunes d'œufs.

Dans une casserole propre, portez cette préparation juste au-dessous de son point d'ébullition en fouettant jusqu'à épaississement. Laissez-la reposer quelques minutes, puis répartissez-la dans les moules et laissez-la refroidir.

Préchauffez le gril du four à température moyenne. Saupoudrez les tartelettes de sucre brun et faites-les dorer quelques minutes sous le gril. Laissez-les refroidir, puis placez-les 2 h au réfrigérateur avant de les servir avec des groseilles et des framboises.

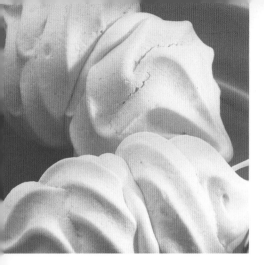

meringues

pour environ 13 meringues

ingrédients

4 blancs d'œufs
125 g de sucre cristallisé
125 g de sucre en poudre
300 g de crème fraîche épaisse
légèrement fouettée (pour servir)
sel

Préchauffez le four à 120 °C et garnissez 3 plaques à pâtisserie de papier sulfurisé.

Dans un grand saladier propre, montez les blancs en neige très ferme avec 1 pincée de sel à l'aide d'un batteur électrique à main ou d'un fouet ballon. Vous devez pouvoir retourner le saladier sans que les blancs ne coulent.

Incorporez progressivement le sucre cristallisé en fouettant : à ce stade, la préparation doit commencer à prendre un bel aspect luisant.

Ajoutez le sucre en poudre en plusieurs fois sans cesser de fouetter jusqu'à obtention d'un mélange à la consistance ferme et épaisse.

Transférez la préparation dans une poche à douille étoilée de 2 cm et déposez-en environ 26 noix sur les plaques préparées.

Mettez les meringues au four et laissez-les cuire 1 h 30, jusqu'à ce qu'elles dorent légèrement et se détachent facilement du papier. Laissez-les refroidir toute la nuit dans le four éteint.

Juste avant de servir, garnissez les meringues de crème et réunissez-les deux par deux.

crème glacée
à la vanille

pour 4/6 personnes

ingrédients

300 g de crème épaisse
300 g de crème liquide
1 gousse de vanille
4 gros jaunes d'œufs
120 g de sucre en poudre

Versez les crèmes dans une grande casserole à fond épais. Fendez la gousse de vanille en deux et grattez les graines dans la crème. Ajoutez la gousse entière. Portez juste au-dessous du point d'ébullition, puis retirez du feu et laissez infuser 30 min.

Dans un grand saladier, fouettez les jaunes d'œufs et le sucre jusqu'à ce qu'ils blanchissent et épaississent (ils laissent alors une légère traînée en surface). Retirez la gousse de vanille, puis incorporez-y la préparation aux œufs sans cesser de tourner à l'aide d'une cuillère en bois. Tamisez la crème obtenue dans la casserole rincée et faites-la cuire 10 à 15 min à feu doux. Continuez de tourner jusqu'à ce qu'elle soit assez épaisse pour napper le dos de la cuillère, en veillant à ne pas la faire bouillir, car elle coagulerait. Retirez-la du feu, puis laissez-la refroidir au minimum 1 h, en brassant de temps en temps pour prévenir la formation d'une peau.

Si vous utilisez une sorbetière, faites tourner la crème froide en respectant les instructions du fabricant. Si vous n'en avez pas, versez-la dans un moule prévu à cet effet et placez-la de 1 à 2 h au congélateur sans la couvrir, jusqu'à ce que les bords commencent à prendre. Transférez-la ensuite dans un saladier, fouettez-la à la fourchette ou mixez-la, puis remettez-la dans son moule et laissez-la reposer de 2 à 3 h à couvert au congélateur, jusqu'à obtention de la consistance désirée.

tarte au citron meringuée

pour 4 personnes

ingrédients

pâte

200 g de farine (plus pour saupoudrer)

100 g de beurre coupé en dés
(plus pour graisser)

50 g de sucre glace tamisé

le zeste de 1 citron râpé fin

1 jaune d'œuf battu

3 cuill. à soupe de lait

garniture

3 cuill. à soupe de Maïzena

30 cl d'eau froide

le jus et le zeste râpé de 2 citrons

175 g de sucre en poudre

2 œufs séparés

Préparez la pâte : tamisez la farine dans un saladier, incorporez le beurre à la main et ajoutez les ingrédients restants. Abaissez aussitôt la pâte sur une surface légèrement farinée, puis laissez-la reposer 30 min. Préchauffez le four à 180 °C.

Beurrez un moule à tarte de 20 cm de diamètre et garnissez-le de pâte (sur environ 5 mm d'épaisseur). Piquez le fond de tarte à la fourchette, puis tapissez-le de papier sulfurisé, recouvrez de haricots secs, mettez au four et laissez cuire 15 min. Sortez-le et réduisez la température du four à 150 °C.

Préparez la garniture : mélangez la Maïzena avec un peu d'eau froide jusqu'à obtention d'une pâte. Versez l'eau restante dans une casserole, incorporez le jus et le zeste de citron, puis la pâte de Maïzena. Portez à ébullition en mélangeant et faites cuire 2 min. Laissez refroidir légèrement, ajoutez 5 cuill. à soupe de sucre, les jaunes d'œufs et nappez le fond de tarte de cette préparation.

Dans un saladier séparé, montez les blancs en neige ferme. Incorporez progressivement le sucre restant, puis garnissez la tarte de cette meringue. Mettez la tarte au four, laissez cuire 40 min et servez.

omelette norvégienne

pour 8/10 personnes

ingrédients

1 biscuit de Savoie de 25 cm de diamètre

50 cl de crème glacée au chocolat (avec des éclats de chocolat) légèrement amollie

50 cl de crème glacée à la vanille légèrement amollie

200 g de framboises

85 g de chocolat à la menthe haché

4 blancs d'œufs

220 g de sucre en poudre

2 cuill. à café de sucre cristallisé

Déposez le gâteau de Savoie sur un plat allant au four et garnissez-le de boules de glace en alternant les parfums. Comblez les espaces vides de framboises et de morceaux de chocolat à la menthe (formez un monticule), puis laissez-le reposer 20 min au congélateur afin de raffermir la glace.

Préchauffez le four à 220 °C. Dans un saladier, battez les blancs en neige très ferme et épaisse, puis incorporez-y progressivement le sucre en poudre.

Transférez aussitôt cette meringue sur la glace en vous assurant qu'elle la recouvre entièrement (faites-la légèrement dépasser sur les bords du gâteau afin de « sceller » la garniture). Donnez-lui un joli mouvement ondulé au sommet, puis saupoudrez-la de sucre cristallisé.

Mettez-la au centre du four et laissez cuire de 4 à 5 min, jusqu'à ce qu'elle dore et que ses pointes se colorent. Servez immédiatement.

tarte au citron

pour 6/8 personnes

Préparez la pâte : tamisez la farine et le sel dans un saladier. Incorporez le beurre à la main jusqu'à obtention d'un mélange friable. Ajoutez le mélange jaune d'œuf/eau et façonnez une pâte. Rassemblez-la en boule, enveloppez-la de papier d'aluminium ou sulfurisé et laissez-la reposer au réfrigérateur au minimum 1 h.

Préchauffez le four à 200 °C. Abaissez la pâte sur une surface légèrement farinée. Garnissez-en un moule à tarte cannelé à fond mobile de 23 cm de diamètre, puis piquez le fond de tarte à la fourchette. Tapissez-le de papier sulfurisé, recouvrez de haricots secs et mettez-le au four 15 min. Lorsque les contours commencent à dorer, sortez le fond de tarte du four et retirez le papier et les haricots. Réduisez la température du four à 190 °C.

Préparez la garniture : mélangez parfaitement le jus, le zeste de citron et le sucre. Incorporez la crème, puis les œufs et les jaunes.

Placez le fond de tarte sur une plaque à pâtisserie et nappez-le de crème au citron. Mettez la tarte au four et laissez-la cuire 20 min, jusqu'à ce que la garniture prenne. Laissez-la refroidir complètement sur une grille. Saupoudrez de sucre glace et servez.

crème anglaise

pour environ 60 cl

ingrédients

35 g de Maïzena

60 cl de lait

65 g de sucre en poudre

2 cuill. à soupe de beurre fondu

1 œuf

1/2 cuill. à café d'extrait de vanille

Dans un bol, mélangez la Maïzena et 3 cuill. à soupe de lait afin de former une pâte. Portez le lait restant à ébullition. Pendant ce temps, mixez le sucre, le beurre, l'œuf et l'extrait de vanille jusqu'à obtention d'un mélange lisse.

Hors du feu, incorporez la pâte de Maïzena au lait chaud. Remettez la casserole sur le feu et faites cuire la préparation 2 min à feu doux en mélangeant. Lorsqu'elle a épaissi, transférez-la dans le mixeur et mixez-la avec le mélange à la vanille jusqu'à obtention d'une crème lisse et homogène.

egg nog
au chocolat

pour 8 personnes

ingrédients

8 jaunes d'œufs

200 g de sucre en poudre

1 l de lait

220 g de chocolat noir râpé

15 cl de rhum brun

Dans un grand saladier, battez les jaunes d'œufs et le sucre jusqu'à ce que le mélange épaississe.

Versez le lait dans une grande casserole, ajoutez le chocolat râpé et portez au point d'ébullition. Retirez la casserole du feu.

Incorporez progressivement le lait chocolaté aux jaunes d'œufs en mélangeant bien, puis ajoutez le rhum. Servez dans des verres résistant à la chaleur.

index